나무를 심은 사람

장 지오노 글 • 프레데릭 바크 그림 • 햇살과나무꾼 옮김

두레 아이들

한 사람의 인격이 얼마나 훌륭한지 알기 위해서는, 오랫동안 그 사람의 행동을 지켜볼 수 있어야 한다. 그 행동이 조금도 이기적이지 않고 더없이 고결한 마음에서 나왔으며, 어떤 보상도 바라지 않고 세상에 뚜렷한 흔적을 남겼다면, 그 때는 영원히 잊을 수 없는 인물을 만난 것이다.

약 40년 전, 나는 여행자들의 발길이 닿지 않은 높은 곳으로 긴 여행을 떠났다.

그 곳은 프로방스 지방으로 뻗어 내린 아주 오래된 알프스 산악 지대였다.

그 지역의 동남쪽과 남쪽으로는 시스트롱에서 미라보까지 뒤랑스 강 중류가

경계를 이루고, 북쪽으로는 발원지에서 디까지 이르는 드롬 강 상류가,

서쪽으로는 콩타브네생 평야와 방투 산 기슭의 낮은 언덕들이 펼쳐져 있었다.

그러니까 바스잘프 지방의 북부 전체와 드롬 지방 남부,
보클뤼즈 지방의 일부가 걸쳐진 곳이었다.

나는 야생 라벤더밖에 자라지 않는 해발 1200~1300미터 지대에서
그 헐벗고 단조로운 황무지로 긴 산책을 떠났다.
그 지방을 길게 가로질러 사흘 동안 걷고 나니 황폐하기 그지없는 곳이
나왔다. 나는 오래 전에 버려져 빈 집만 남아 있는 마을 옆에
천막을 쳤다. 전날부터 물이 떨어져서 물을 구해야 했던 것이다.

폐허이긴 해도 오래된 말벌집처럼 집들이 모여 있으니, 한때는 이 곳에도 샘이나
우물이 있었을 것 같았다. 실제로 샘이 하나 있었지만, 바닥은 말라붙어 있었다.
비바람에 시달려 지붕이 없어진 집 대여섯 채와 종탑이 무너져 내린 작은 성당이 마치
사람 사는 마을의 집과 성당처럼 자리잡고 있었으나, 생명은 이미 사라지고 없었다.

햇빛이 눈부시게 쏟아지는 6월의 맑은 날이었으나,
하늘 높이 솟아 있는 이 벌거벗은 땅에는 날아갈 듯 세찬
바람이 불어 대고 있었다. 바람은 마치 먹이를 먹다 방해받은
들짐승처럼, 뼈대만 남은 앙상한 집 속에서 으르렁거렸다.
나는 할 수 없이 천막을 걷었다.

그 곳에서 다섯 시간쯤 걸어갔지만, 물을 찾기는커녕 찾을 희망조차 보이지 않았다. 온통
메마른 땅에는 억센 풀밖에 자라나 있지 않았다. 멀리 조그만 검은 형체가 서 있는 것이
언뜻 눈에 띄었다. 나는 홀로 서 있는 나무등치려니 했다. 혹시나 싶어 그 쪽으로 다가가 보았다.

그것은 양치기 노인이었다. 노인의 곁에는 서른 마리쯤 되는 양이 뜨거운 땅 위에 누워 쉬고 있었다.
노인은 나에게 물통을 건네 주고, 잠시 후 고원의 우묵한 곳에 있는 양 우리로 나를 데려갔다.
그리고는 깊은 천연 우물에서 맑은 물을 길어 올렸다. 우물 위에는 간단한 도르래가 달려 있었다.
노인은 거의 말이 없었다. 그것은 혼자 사는 사람들의 특징이었으나, 노인에게서는
왠지 모를 자신감과 확신이 느껴졌다. 아무것도 없는 이 헐벗은 땅에서 묘한 일이었다.

노인은 허름한 오두막이 아니라 견고한 돌집에서 살고
있었는데, 그 집을 보면 노인이 어떻게 혼자 힘으로
버려진 집을 되살려 냈는지 한눈에 알 수 있었다. 지붕은
튼튼하고 물이 새지 않았다. 지붕의 기왓장을 때려 대는
바람 소리가 바닷가의 파도 소리처럼 들려 오고 있었다.

살림살이는 가지런히 정돈되어 있었다. 그릇도 깨끗이 닦여 있고, 바닥도
말끔히 청소되어 있었으며, 총에는 기름칠이 되어 있었다. 불 위에서 수프가
끓고 있었다. 나는 그제야 노인이 갓 면도를 했음을 알아차렸다. 노인의 옷은
단추가 단단히 달려 있고, 기운 자국이 보이지 않도록 세심하게 기워져 있었다.

노인은 나에게 수프를 나누어 주었다. 수프를
먹고 나서 내가 담배쌈지를 내밀었으나, 노인은
담배를 피우지 않는다고 했다. 노인의 개는 주인처럼
조용했으며 살갑게 굴지는 않아도 정겨워 보였다.

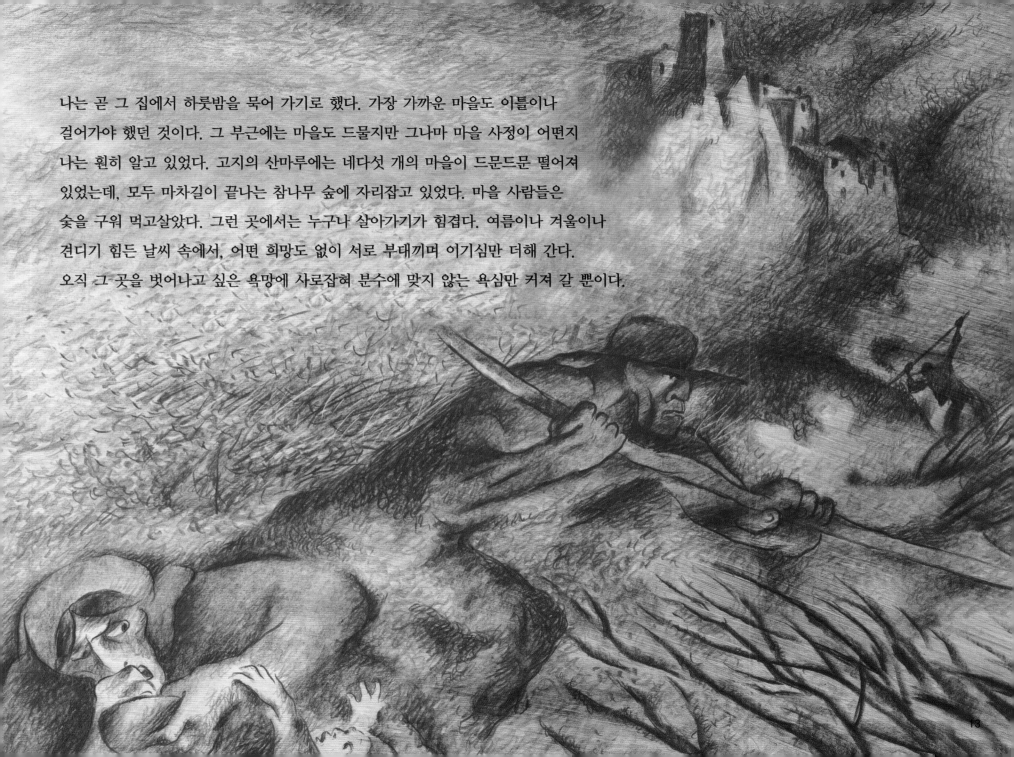

나는 곧 그 집에서 하룻밤을 묵어 가기로 했다. 가장 가까운 마을도 이틀이나
걸어가야 했던 것이다. 그 부근에는 마을도 드물지만 그나마 마을 사정이 어떤지
나는 훤히 알고 있었다. 고지의 산마루에는 네다섯 개의 마을이 드문드문 떨어져
있었는데, 모두 마차길이 끝나는 참나무 숲에 자리잡고 있었다. 마을 사람들은
숯을 구워 먹고살았다. 그런 곳에서는 누구나 살아가기가 힘겹다. 여름이나 겨울이나
견디기 힘든 날씨 속에서, 어떤 희망도 없이 서로 부대끼며 이기심만 더해 간다.
오직 그 곳을 벗어나고 싶은 욕망에 사로잡혀 분수에 맞지 않는 욕심만 커져 갈 뿐이다.

13

남자들은 짐마차에 숯을 싣고 도시로 갔다가 되돌아온다. 이처럼
무감각하게 되풀이되는 생활 속에서는 아무리 착실한 사람이라도 무너지고
만다. 여자들의 마음속에서는 불만이 끓어오른다. 사람들은 모든 것을 놓고
경쟁한다. 숯을 파는 일뿐 아니라 성당에서 앉는 자리, 선한 일과 악한 일,
선과 악이 뒤섞인 일상적인 문제에 이르기까지 끊임없이 다투어 댄다.

그 위로 바람마저 쉬지 않고 불어 와 신경을
거스른다. 자살이 유행처럼 번지고, 온갖
범죄가 들끓어 수많은 목숨을 앗아 간다.

담배를 피우지 않는 양치기 노인은 조그만 자루를 가져와 식탁 위에 도토리를 쏟아 놓았다. 그리고는 도토리 하나하나를 주의 깊게 살펴보며 좋은 것과 나쁜 것을 골라 내기 시작했다. 나는 파이프 담배를 피웠다. 나도 거들겠다고 했으나, 노인은 자기 일이라고 했다. 사실 그랬다. 노인이 얼마나 정성을 쏟는지, 나는 더 이상 우기지 않았다. 우리가 나눈 이야기는 그것이 전부였다. 제법 굵고 좋은 도토리가 한 켠에 쌓이자, 노인은 도토리를 열 개씩 나누었다. 도토리를 세면서 노인은 다시금 작은 것과 금이 간 것을 골라 냈다. 아주 자세히, 정성껏 살펴보고 있었던 것이다. 그렇게 흠 없는 도토리 백 개가 쌓이고 나서야 노인은 일손을 멈추었고, 우리는 잠자리에 들었다.

노인과 함께 있으니 마음이 평화로웠다. 나는 이튿날도 노인의 집에서 묵어 가게 해 달라고 했다.
노인은 그런 것에 마음쓰지 않는 것 같았다. 아니, 더 정확히 말하면 어떤 것에도 마음이 흔들리지
않는 것 같았다. 꼭 쉬어 가야 할 이유는 없었으나, 나는 호기심이 생겼고 노인에 대해 더 알고 싶었다.
노인은 지난밤 정성껏 골라 놓은 도토리 자루를 양동이 물에 담그고는 양 떼를 몰고 방목장으로 갔다.
노인의 손에는 지팡이 대신 엄지손가락만한 굵기의 1미터 50센티미터쯤 되는 쇠막대가 들려 있었다.

나는 멀찍이 떨어져서 쉬엄쉬엄 걷는 척하며 따라갔다. 양들의 방목장은 작은 골짜기에 있었다.
노인은 개에게 양 떼를 맡기고는 내가 있는 쪽으로 올라왔다. 말도 없이 쫓아왔다고 꾸짖으러
온 줄 알았지만 괜한 걱정이었다. 단지 노인이 가려던 방향에 내가 서 있었던 것이다.
노인은 달리 할 일이 없으면 함께 가자고 했다. 노인은 언덕 위로 200미터쯤 올라갔다.

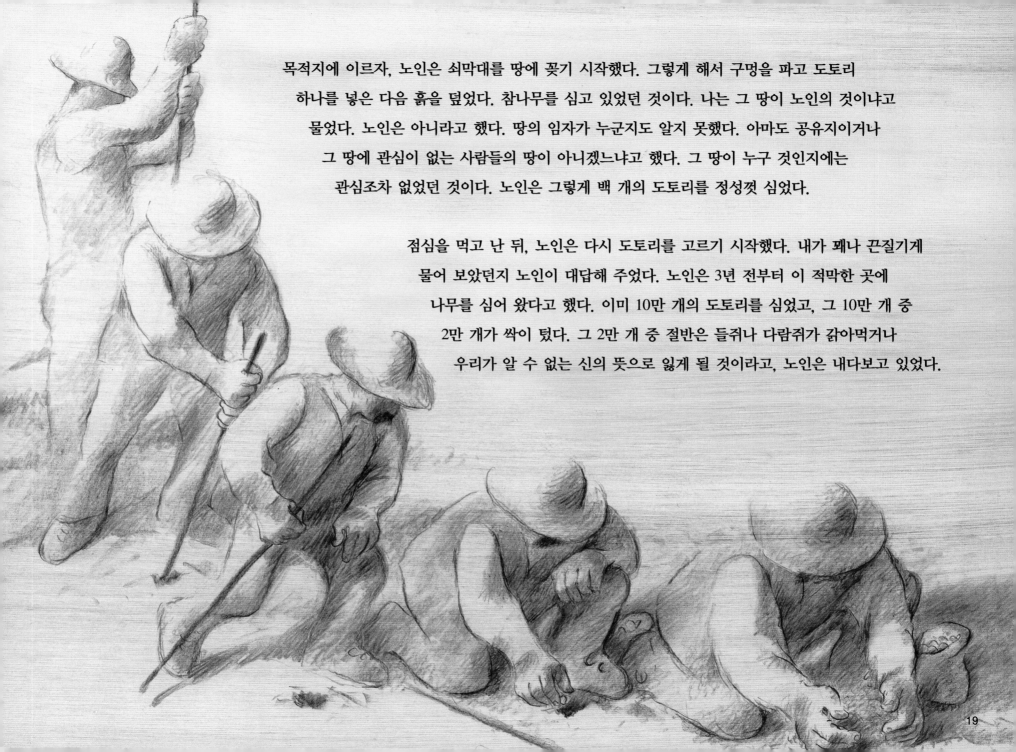

목적지에 이르자, 노인은 쇠막대를 땅에 꽂기 시작했다. 그렇게 해서 구멍을 파고 도토리
하나를 넣은 다음 흙을 덮었다. 참나무를 심고 있었던 것이다. 나는 그 땅이 노인의 것이냐고
물었다. 노인은 아니라고 했다. 땅의 임자가 누군지도 알지 못했다. 아마도 공유지이거나
그 땅에 관심이 없는 사람들의 땅이 아니겠느냐고 했다. 그 땅이 누구 것인지에는
관심조차 없었던 것이다. 노인은 그렇게 백 개의 도토리를 정성껏 심었다.

점심을 먹고 난 뒤, 노인은 다시 도토리를 고르기 시작했다. 내가 꽤나 끈질기게
물어 보았던지 노인이 대답해 주었다. 노인은 3년 전부터 이 적막한 곳에
나무를 심어 왔다고 했다. 이미 10만 개의 도토리를 심었고, 그 10만 개 중
2만 개가 싹이 텄다. 그 2만 개 중 절반은 들쥐나 다람쥐가 갉아먹거나
우리가 알 수 없는 신의 뜻으로 잃게 될 것이라고, 노인은 내다보고 있었다.

19

만 그루의 참나무가 살아남아 아무것도 없던 이 땅에서 자라날 것이다.

양치기 노인의 나이가 궁금해진 것은 그 때였다. 보기에도 쉰 살은 넘은 듯했다.

노인은 쉰다섯이라고 했다. 이름은 엘제아르 부피에였다. 노인은 한때

평야 지대에 농장을 가지고 있었고 그 곳에서 성실하게 살았다.

그 곳에서 노인은 하나뿐인 아들을 잃었고 잇따라 아내마저 잃었다. 그 뒤로

노인은 이 고적한 곳으로 물러나 개와 양을 기르며 한가롭게 사는 것을 기쁨으로

삼았다. 노인은 나무가 없어서 이 곳이 죽어 가고 있다고 생각했다. 달리

중요한 일도 없었기 때문에 이 곳을 바꾸어 보기로 했다고 노인은 덧붙였다.

그 당시 나는 젊은 나이였으나 혼자 살고 있었으므로, 고독한 사람들과 묘하게
마음이 통했다. 그런데도 실수를 하고 말았다. 바로 젊은 나이 때문에 오직
나 자신과 관계된 일이나 행복을 추구하는 일만 마음에 두고 미래를 상상했던
것이다. 나는 노인에게 30년 뒤면 만 그루의 참나무가 굉장하겠다고 말했다.
노인은 하느님께서 목숨을 부지하게 해 주신다면 앞으로 30년 동안 많은 나무를
심을 테니 그 만 그루는 바다의 물 한 방울과 같을 거라고 담담하게 대답했다. 노인은
이미 너도밤나무 재배법을 공부하며, 집 근처에서 어린 너도밤나무 묘목을 가꾸고 있었다.
양들이 넘어오지 못하게 철망을 두른 묘목장은 참으로 아름다웠다. 노인은 골짜기에
자작나무를 심을 생각도 하고 있었다. 몇 미터 땅 속에 습기가 잠들어 있다는 것이다.
다음날 우리는 헤어졌다.

이듬해 1차 세계대전이 일어났고, 나는 5년 동안 전쟁터에 나가 있었다.
병사였던 나는 나무 생각을 거의 할 수 없었다. 아니, 사실은
그 때의 일이 내 마음속에 별로 남아 있지 않았다. 나무 심는 일을
한때의 유행이나 우표수집처럼 생각하고 이미 잊어버린 것이다.

전쟁이 끝나자 내게 남은 것은 얼마 안 되는 제대 수당과 맑은 공기를 마시고 싶다는
강렬한 열망뿐이었다. 그 황량한 지방으로 다시 길을 떠났을 때, 나는 오직 그 생각뿐이었다.
그 곳은 변하지 않았다. 하지만 그 죽은 마을 너머로 멀리 잿빛 안개 같은 것이 융단처럼
높은 산을 덮고 있는 것이 보였다. 전날부터 나는 나무를 심던 양치기를 떠올리고 있었다.
나는 '지금쯤 참나무 만 그루가 꽤나 넓은 땅을 차지하고 있겠지' 하고 생각했다.

나는 5년 동안 사람이 죽는 것을 하도 많이 보아서, 엘제아르 부피에 노인도 당연히 죽었으리라 생각했다. 더구나 이십대 젊은이의 눈에는 오십대 노인은 앞으로 죽을 일밖에 남지 않은 사람처럼 비친다. 노인은 죽지 않았다. 오히려 전보다 정정했다. 노인은 직업을 바꾸었다. 양은 이제 네 마리밖에 없고, 그 대신 백 개쯤 되는 벌통이 있었다. 어린 나무를 해칠까 봐 양들을 치워 버린 것이다. 노인은 전쟁에는 조금도 신경을 쓰지 않았다고 했다. 나도 눈으로 확인할 수 있었다. 노인은 흔들리지 않고 꾸준히 나무를 심어 왔던 것이다.

1910년에 심은 참나무는 이제 열 살이 되어, 나나 노인보다 키가 컸다. 가슴이 뭉클했다.
나는 말 그대로 할 말을 잃었고 노인도 말을 하지 않았으므로, 우리는 온종일 말없이 숲 속을
거닐었다. 숲은 세 구역으로 되어 있었는데, 가장 넓은 곳은 11킬로미터나 뻗어 있었다.
이 모든 것이 아무런 기술적 도움도 없이 오직 한 사람의 손과 영혼에서 나왔다는 것을
생각하면, 인간이 파괴가 아닌 다른 분야에서는 하느님만큼 유능할 수 있음을 깨닫게 된다.

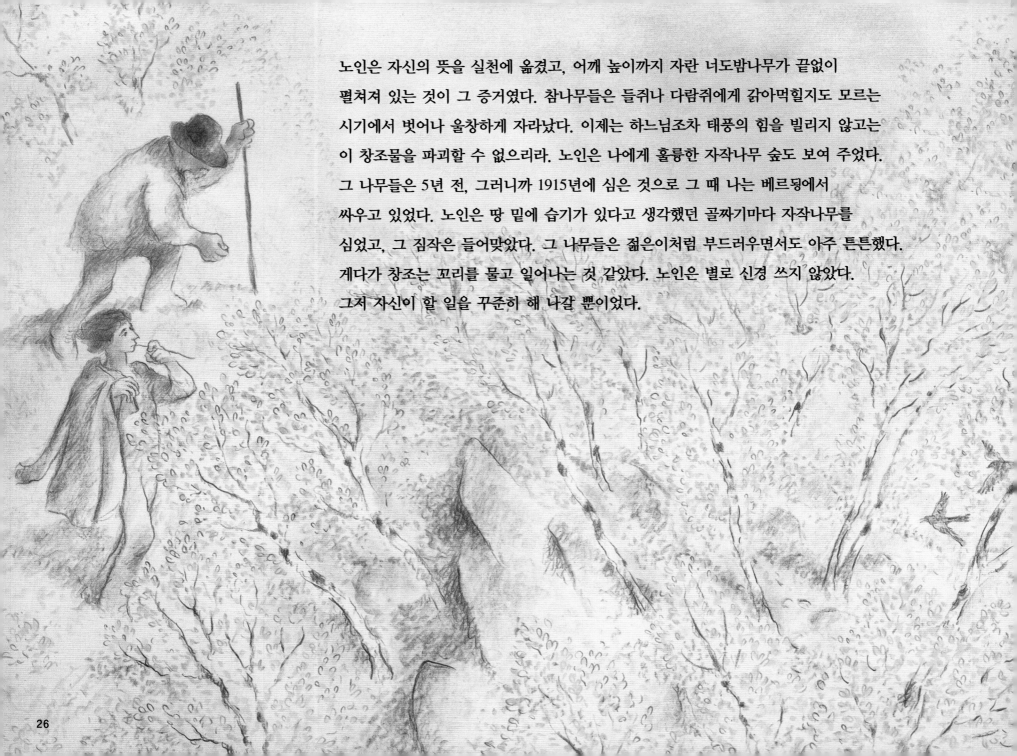

노인은 자신의 뜻을 실천에 옮겼고, 어깨 높이까지 자란 너도밤나무가 끝없이
펼쳐져 있는 것이 그 증거였다. 참나무들은 들쥐나 다람쥐에게 갉아먹힐지도 모르는
시기에서 벗어나 울창하게 자라났다. 이제는 하느님조차 태풍의 힘을 빌리지 않고는
이 창조물을 파괴할 수 없으리라. 노인은 나에게 훌륭한 자작나무 숲도 보여 주었다.
그 나무들은 5년 전, 그러니까 1915년에 심은 것으로 그 때 나는 베르됭에서
싸우고 있었다. 노인은 땅 밑에 습기가 있다고 생각했던 골짜기마다 자작나무를
심었고, 그 짐작은 들어맞았다. 그 나무들은 젊은이처럼 부드러우면서도 아주 튼튼했다.
게다가 창조는 꼬리를 물고 일어나는 것 같았다. 노인은 별로 신경 쓰지 않았다.
그저 자신이 할 일을 꾸준히 해 나갈 뿐이었다.

나는 마을로 내려오다가, 아득히 먼 옛날부터 말라 있던 도랑에 물이 흐르는 것을 보았다. 그렇게 멋진 변화는 처음 보았다. 예전에는, 아주 먼 옛날에는 이 도랑에도 물이 있었다. 이 이야기를 시작할 때 말했던 황폐한 마을 중 몇몇은 로마시대의 유적이 아직도 남아 있는 옛 마을 터에 세워진 것인데, 고고학자들이 그 곳에서 발굴 작업을 하다가 낚시바늘을 발견했다고 한다. 그러나 20세기에는 물탱크가 없으면 이 곳에서 물을 얻을 수 없었다.

바람도 얼마간의 씨앗을 퍼뜨렸다. 물이 돌아오면서 버드나무,
고리버들, 풀밭, 기름진 땅, 꽃, 그리고 삶의 이유 같은 것이 돌아왔다.
하지만 그 변화가 아주 천천히 일어났기 때문에, 사람들은 예사로운 일로
받아들였다. 산토끼나 멧돼지를 쫓아 호젓한 곳까지 올라온 사냥꾼들은
어린 나무들이 즐비한 것을 보았지만, 대지의 자연스러운 변덕쯤으로
여겼다. 덕분에 아무도 노인의 일에 끼여들지 않았다. 만약 누군가
의심했다면 훼방을 놓았을지도 모른다. 하지만 의심할 수가 없었다.

고결하기 그지없는 일을 그토록 우직하게 계속하다니, 마을이나 관청에서 누가 상상할 수나 있었겠는가?

나는 1920년부터 해마다 엘제아르 부피에 노인을 찾아갔다. 나는 노인이 뜻을 굽히거나
의심을 품는 것을 본 적이 없다. 하지만 노인에게 시련이 없었을 리 없다! 나는 노인이 겪었을
좌절은 생각해 보지 않았다. 그러나 그만한 성공을 거두려면 숱한 어려움을 이겨 내야 했음을
쉽게 상상할 수 있었다. 그러한 열정이 확고한 승리를 거두려면 절망을 딛고 일어나야 했으리라.

한때 노인은 일 년 동안 만 그루가 넘는 단풍나무를 심었다. 그러나 단풍나무는 모두 죽었다.
이듬해에 노인은 단풍나무에서 손을 떼고, 참나무보다 더 잘 자라는 너도밤나무를 다시 심었다.
이 남다른 면모를 제대로 이해하려면, 노인이 철저히 고독하게 지냈음을 잊어서는 안 된다. 얼마나
고독했는지 말년에 이르러서는 말하는 법을 잃어버렸을 정도였다. 아니, 말할 필요를 못 느꼈던 것일까?

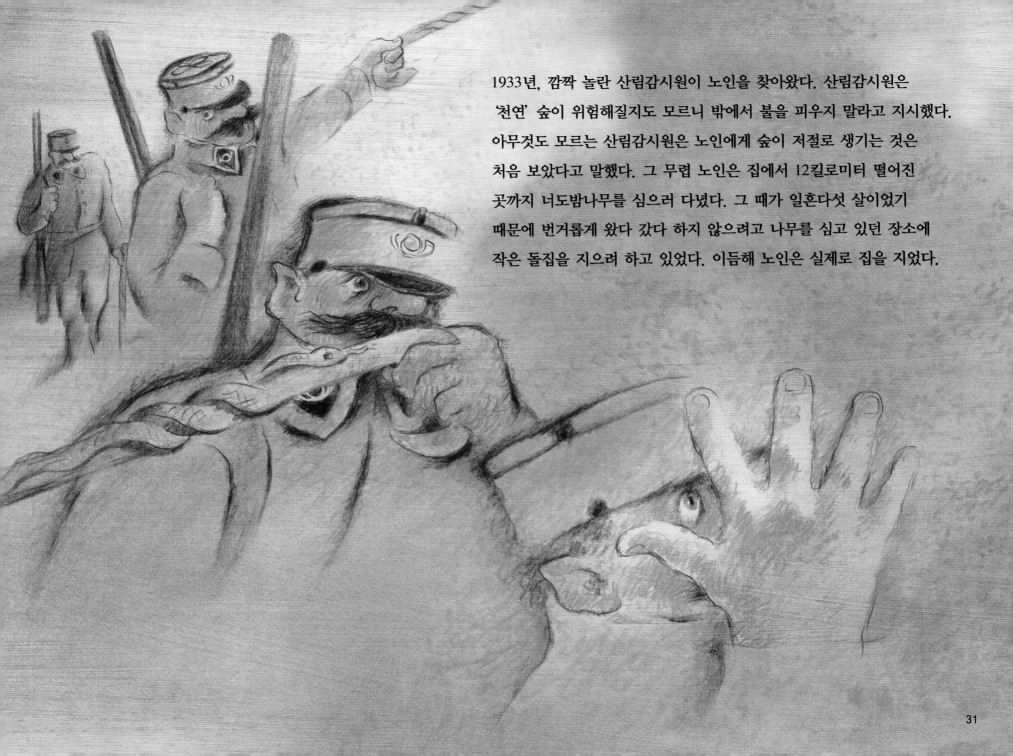

1933년, 깜짝 놀란 산림감시원이 노인을 찾아왔다. 산림감시원은
'천연' 숲이 위험해질지도 모르니 밖에서 불을 피우지 말라고 지시했다.
아무것도 모르는 산림감시원은 노인에게 숲이 저절로 생기는 것은
처음 보았다고 말했다. 그 무렵 노인은 집에서 12킬로미터 떨어진
곳까지 너도밤나무를 심으러 다녔다. 그 때가 일흔다섯 살이었기
때문에 번거롭게 왔다 갔다 하지 않으려고 나무를 심고 있던 장소에
작은 돌집을 지으려 하고 있었다. 이듬해 노인은 실제로 집을 지었다.

1935년에 정식 정부대표단이 '천연 숲'을 조사하러 왔다. 산림청의 높은 사람 한 사람과
국회의원 한 사람, 그리고 전문가들이었다. 그 사람들은 쓸데없는 말을 많이 했다. 그리고는
뭔가를 하기로 결정했는데, 다행히 쓸모 있는 일 딱 하나말고는 아무것도 하지 않았다.
나라에서 숲을 보호하고, 그 숲의 나무로 숯을 굽지 못하게 한 것이다. 싱싱한 어린 나무들의
아름다움에는 그들조차 매혹당할 수밖에 없었다. 숲의 아름다움이 국회의원까지 사로잡은 것이다.

대표단의 산림전문가 중에 내 친구가 있었다. 나는
친구에게 숲의 비밀을 설명해 주었다. 그 다음주에 우리는
엘제아르 부피에 노인을 찾아갔다. 노인은 대표단이 둘러보던
장소에서 20킬로미터 떨어진 곳에서 한창 일하고 있었다.
그 산림전문가는 역시 내 친구다웠다. 친구는 가치 있는
일을 알아보았다. 입을 다물고 있을 줄도 알았다. 나는 선물로
가지고 간 달걀 몇 개를 꺼내 놓았다. 우리는 셋이서 도시락을
나누어 먹고 말없이 경치를 바라보며 몇 시간을 보냈다.

우리가 지나온 쪽은 6~7미터 높이의 나무들로 덮여 있었다. 나는 1913년의 그 지방 풍경을 떠올렸다. 황무지……. 규칙적이고 평화로운 노동과 높은 곳의 상쾌한 공기, 검소한 식사, 무엇보다도 마음의 평화 덕분에 노인은 위엄이 느껴질 만큼 건강했다. 신이 내린 일꾼이었다. 나는 앞으로 노인이 나무를 몇 헥타르나 더 심을지 생각해 보았다. 떠나기 전에 내 친구가 이 곳 토양에 맞을 듯한 나무 종류에 대해 짤막하게 말해 주었다. 굳이 강요하지는 않았다. 잠시 후, 친구가 나에게 말했다. "저 분이 나무에 대해 나보다 잘 아니까."

계속 그 생각을 하고 있었는지, 한 시간쯤 걷고 나서 친구는 다시 덧붙였다.

"저 분은 나무에 대해 누구보다도 잘 알고 있어. 스스로 행복해지는 훌륭한 방법을 발견한 거야!"

이 산림전문가 덕분에 숲뿐 아니라 노인의 행복도 지켜졌다. 세 사람의 산림감시원을

임명하고는 벌목꾼들이 뇌물을 주어도 흔들리지 않도록 단단히 일러두었던 것이다.

숲이 심각한 위기를 겪은 것은 1939년 2차 세계대전 때뿐이었다.
당시에는 자동차가 목탄가스로 움직였기 때문에 항상
나무가 모자랐다. 이 때문에 1910년에 심은 참나무 숲을
베기 시작했으나, 숲이 도로에서 너무 멀리 있어서 경제적으로
수지가 맞지 않았다. 사람들은 그 숲을 포기했다. 양치기 노인은
아무것도 알지 못했다. 노인은 30킬로미터 떨어진 곳에서
1차 세계대전에 신경 쓰지 않았던 것처럼 2차 세계대전에도
신경 쓰지 않고 평화롭게 자기 일을 계속하고 있었다.

1945년 6월, 나는 마지막으로 엘제아르 부피에 노인을 만났다. 그 때 노인은 여든일곱 살이었다. 나는 다시 그 옛날 황무지 같던 곳으로 길을 떠났는데, 전쟁으로 피해를 입은 가운데서도 뒤랑스 계곡에서 산 위까지 버스가 다니고 있었다. 나는 예전에 걸어갔던 곳을 알아보지 못했다. 버스가 빨리 달리는 탓이려니 생각했다. 난생 처음 가 보는 장소를 지나가는 것 같았다. 나는 마을 이름을 보고서야 그 곳이 예전에 황량한 폐허였던 마을임을 깨달았다. 나는 베르공 마을에서 내렸다.

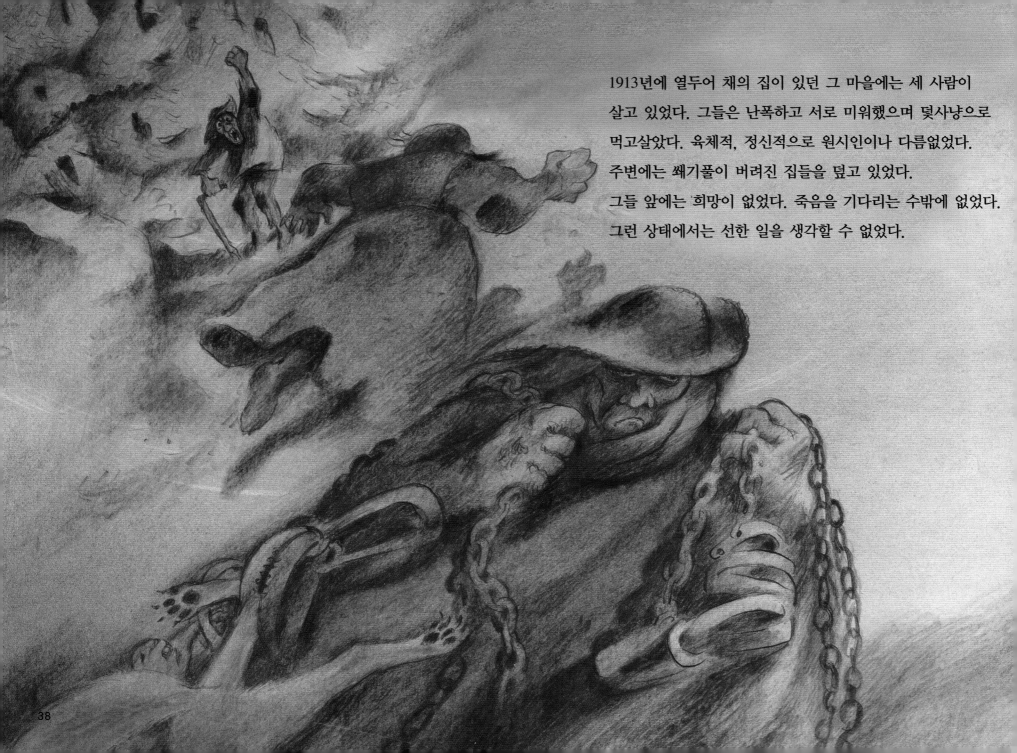

1913년에 열두어 채의 집이 있던 그 마을에는 세 사람이
살고 있었다. 그들은 난폭하고 서로 미워했으며 덫사냥으로
먹고살았다. 육체적, 정신적으로 원시인이나 다름없었다.
주변에는 쐐기풀이 버려진 집들을 덮고 있었다.
그들 앞에는 희망이 없었다. 죽음을 기다리는 수밖에 없었다.
그런 상태에서는 선한 일을 생각할 수 없었다.

모든 것이 변했다. 심지어 공기마저. 예전에 나를 맞이하던 세차고
건조한 돌풍 대신 부드러운 산들바람이 향기를 싣고 불어 왔다.
저 높은 곳에서는 물 소리 같은 것이 들려 왔다. 숲 속에 부는
바람 소리였다. 마침내, 더욱 놀랍게도 연못으로 흐르는 진짜
물 소리까지 들렸다. 사람들이 만든 샘에 물이 넘치는 것이 보였다.
무엇보다 감동적인 것은 샘 가에 심어 놓은 보리수로, 벌써
네 살쯤 되어 잎이 무성한 그 나무는 명백히 부활의 상징이었다.

더구나 베르공 마을에는 결코 희망 없이는 할 수 없는 일을
한 흔적이 있었다. 희망이 돌아온 것이다. 무너진 집과 담장이
헐리고 다섯 채의 집이 새로 들어서 있었다. 지금은 그 작은 마을에
스물여덟 명이 살고, 그 중에는 젊은 부부도 네 쌍이 있었다. 이제
막 벽을 칠한 새 집들이 채소밭에 둘러싸여 있었고, 양배추와
장미나무, 파와 금어초, 셀러리와 아네모네 등 채소와 꽃이
가지런히 자라고 있었다. 이제는 살기 좋은 곳이 된 것이다.

나는 거기서부터 걸어갔다. 전쟁이 끝난 지 얼마 안 되어
아직 생명이 활짝 피어나지는 못했지만, 라자로*는 무덤 밖으로
나와 있었다. 아래쪽 산중턱에 어린 보리와 호밀이 자라는 밭들이
보이고, 좁은 골짜기들에는 파릇한 풀들이 자라나 있었다.

*라자로─죽어서 무덤에 묻혔다가 예수의 기적으로 되살아난 성서 속의 인물

그 지방 전체가 건강하고 여유롭게 빛나기까지는 그로부터 8년밖에
걸리지 않았다. 1913년에 폐허였던 자리에 벽을 산뜻하게 칠한 농가가
들어서서 행복하고 안락하게 살아가고 있음을 보여 주고 있었다.

눈과 비가 숲에 스며들어 말라 버린 샘들이 다시 흐르기
시작했다. 사람들이 물길을 만들었다. 작은 단풍나무 숲 속 농장
옆에는 맑은 샘물이 솟아 싱싱한 박하 풀잎 위로 흘러 넘쳤다.

마을들이 조금씩 되살아났다. 땅값이 비싼 평야 지대에서 찾아든 사람들이 뿌리를 내리면서
젊음과 활기와 모험 정신을 불러일으켰다. 길에서는 건강한 남자와 여자들, 다시 시골 축제를
즐기며 웃게 된 소년 소녀들을 볼 수 있었다. 즐거운 생활로 몰라보게 달라진 토박이들과
새로 온 사람들을 합쳐 만 명도 넘는 사람들이 엘제아르 부피에 노인 덕분에 행복하게 살고 있다.

단 한 사람의 육체적, 정신적 능력만으로 이 불모지에서
가나안*이 솟아난 것을 돌이켜보면, 인간에게
주어진 힘이란 아무래도 놀랍다는 생각이 든다.

*가나안–구약성서에서 하느님이 이스라엘 백성에게 주겠다고 약속한 땅으로, 비옥하고 풍요로운 땅

그러나 위대한 영혼으로 오직 한 가지 일에만 일생을 바친 고결한 실천이 없었다면,
이러한 결과를 낳을 수 없었을 것이다. 그 사실을 생각할 때마다 나는 신과 다름없는 일을
훌륭히 해낸 사람, 배운 것 없는 그 늙은 농부에 대한 크나큰 존경심에 사로잡힌다.

엘제아르 부피에는 1947년에 바농의 요양원에서 평화롭게 눈을 감았다.

희망을 심은 사람, 장 지오노와 프레데릭 바크

- 이 책을 어린이에게 권하는 분들에게

　장 지오노의 『나무를 심은 사람』은 1953년 처음 발표된 이래 약 50년에 걸쳐 여러 나라 말(13 언어)로 옮겨져 세계적으로 널리 읽히고 있는 단편소설이다. 뛰어난 문학작품으로 읽힐 뿐만 아니라 청소년들을 위한 정신·정서 교육 및 생태·환경 교육자료로서, 어른들에게는 향기 그윽한 묵상자료로 읽히고 있다.

　이 작품은 작가 자신의 체험을 바탕으로 하여 씌어진 것이라고 한다. 장 지오노는 오트-프로방스의 산지를 여행하다가 한 특별한 사람을 만났다. 그 사람은 혼자 사는 양치기였는데, 끊임없이 나무를 심어 황폐한 땅을 숲으로 바꾸어 가고 있었다고 한다. 작가는 여기에서 큰 감명을 받아 이 작품의 초고를 썼으며, 그 후 약 20년 동안이나 원고를 다듬어 책으로 펴냈다.

　이 작품을 쓴 장 지오노(Jean Giono)는 1895년 프랑스 남부 오트-프로방스의 소도시 마노스크에서 태어났다. 그의 아버지는 조그만 구두수선점을 하는 사람이었다. 가난하여 제대로 교육을 받지 못하고 16세 때부터 은행에 들어가 18년 동안 그 곳에서 일했다. 17세 때는 1차 세계대전에 참가해 5년 동안 전쟁터에서 싸웠다. 그는 혼자 독학으로 많은 고전을 읽고 습작을 하면서 작가가 되었다. 1929년 34세 때 첫 작품 『언덕』을 발표하면서부터 기대를 모았는데, 특히 앙드레 지드로부터 특별한 촉망을 받았다고 한다. 그 후 그는 1970년에 세상을 뜨기까지 약 30편의 소설·에세이·시나리오를 써서 20세기 프랑스의 가장 뛰어난 작가 중의 한 사람이 되었다. 지오노가 프랑스 문학에서 차지하고 있는 위치는 그가 1953년 모나코상을 받았고 1954년 아카데미 공쿠르의 회원으로 선출되었으며 한때 노벨 문학상 후보로 이름이 오르내린 데서도 잘 드러난다.

　이 책의 일러스트를 그린 프레데릭 바크(Frédéric Back)는 아카데미 단편영화상을 두 번이나 받은 세계 애니메이션 영화계의 큰 별이다. 그는 『나무를 심은 사람』을 읽고 너무 큰 감동을 받아 영화로 만들게 되었다면서 이렇게 말했다. "이 작품은 헌신적으로 자기를 바쳐 일한 한 사람의 이야기입니다. 이 작품의 주인공은 나무를 심는 것이 마땅히 해야 할 중요한 일이라는 것을 알았습니다. 그리고 오랜 세월에 걸친 자신의 노력이 헐벗은 대지와 그 위에 살아갈 사람들에게 유익한 결과를 가져오리라고 확신했습니다. 그는 아무런 보상도 바라지 않고 그의 일을 계속했습니다. 그는 대지가 천천히 변해 가는 것을 보는 것만으로 행복을 느꼈습니다. 그 이상의 것을 바라지 않았습니다. 나는 자신을 바쳐 일하는 모든 사람에게 이 영화를 바칩니다. 그리고 자신이 무엇을 해야 할지 모르는 사람들이나 절망의 늪에 빠져 있는 사람들에게 이 작품이 큰 격려가 되기를 바랍니다."

바크는 이 애니메이션 영화(캐나다 CBC 제작)를 위해 5년 동안에 약 2만 장의 그림을 그렸다고 한다. 이 영화를 탄생시킨 캐나다에서는 영화를 보고 큰 감동을 받은 국민들이 나무 심기 운동을 전국적으로 벌여 2억 5천만 그루의 나무를 심었다고 한다. 문학작품의 상상력을 영화가 성공적으로 소화해 내기란 어려운 일인데, 이 영화는 한 편의 소설이 얼마나 탁월한 영상예술로 만들어질 수 있느냐는 하나의 전형을 보여 주었다고 할 수 있다. 따라서 예술적인 완성도가 절정에 이른 애니메이션 영화가 어떤 것인지 알려면 이 영화를 꼭 보아야 한다. 다행히도 이 영화는 우리말로도 제작(베네딕도 미디어 02-2279-7429)되어 큰 감동을 주면서 널리 시청되고 있다.

이 책에 실린 그림들은 이 영화의 애니메이션 그림들 가운데 소설의 내용에 해당하는 것들을 뽑아 프레데릭 바크 자신이 책에 맞게 다시 손을 본 것이다. 그러므로 이 책은 문학작품이 만들어 내는 상상의 세계를 뛰어난 그림을 통해 현실처럼 우리 눈앞에 펼쳐 보여 준다. 그리고 이 영화를 보고 깊은 감동을 받은 사람들은 문장과 그림을 통해 이 책을 다시 읽음으로써 그 감동을 오래오래 마음속에 붙잡아 둘 수 있을 것이다.

이 작품과 쌍벽을 이루는 바크의 애니메이션 영화로는 『위대한 강』이 있다. 똑같이 캐나다의 CBC 작품으로 강이 인간의 탐욕과 무지로 인해 어떻게 죽어 가고 있는가를 고발한 작품이다. 감탄하지 않을 수 없는 또 하나의 탁월한 애니메이션 영화이다. 이 영화작품을 우리말로 옮겨 펴낸 책 이름도 『위대한 강』(두레아이들)인데, 영상물(라바 필름 02-765-8312)과 더불어 귀중한 생태·환경운동 교육자료로 쓰이고 있다.

－편집자

옮긴이 **햇살과나무꾼**

햇살과나무꾼은 동화를 사랑하는 사람들이 모여 만든 곳으로, 세계 곳곳에 묻혀 있는
좋은 작품들을 찾아 우리말로 소개하며 어린이의 정신에 좋은 양식을 주고 지식의 씨앗을 뿌리는 책을
집필하는 어린이책 전문 기획실이다. 지금까지 『작은 인디언의 숲』 『아무도 모르는 작은 나라』
『검은 여우』 『프린들 주세요』 등을 우리말로 옮겼으며, 『옛날 사람들은 어떻게 공부했을까』
『엄마아빠의 사랑을 먹고 크는 친구들』 등을 썼다.

나무를 심은 사람

• **지은이** 장 지오노 • **그린이** 프레데릭 바크 • **옮긴이** 햇살과 나무꾼 • **펴낸이** 조추자 • **펴낸곳** 두레아이들

• **1판 1쇄 발행** 2002년 10월 17일 • **1판 9쇄 발행** 2005년 5월 20일 • **등록** 2002년 4월 26일 제10-2365호

• **주소** 서울시 마포구 공덕1동 105-225 • **전화** 02)702-2119, 703-8781 • **팩스** 02)715-9420

• **이메일** dourei@chol.com ⓒ 두레아이들, 2002 ISBN 89-953021-0-0 77860

* 가격은 뒷표지에 적혀 있습니다. 잘못 만들어진 책은 바꾸어 드립니다.